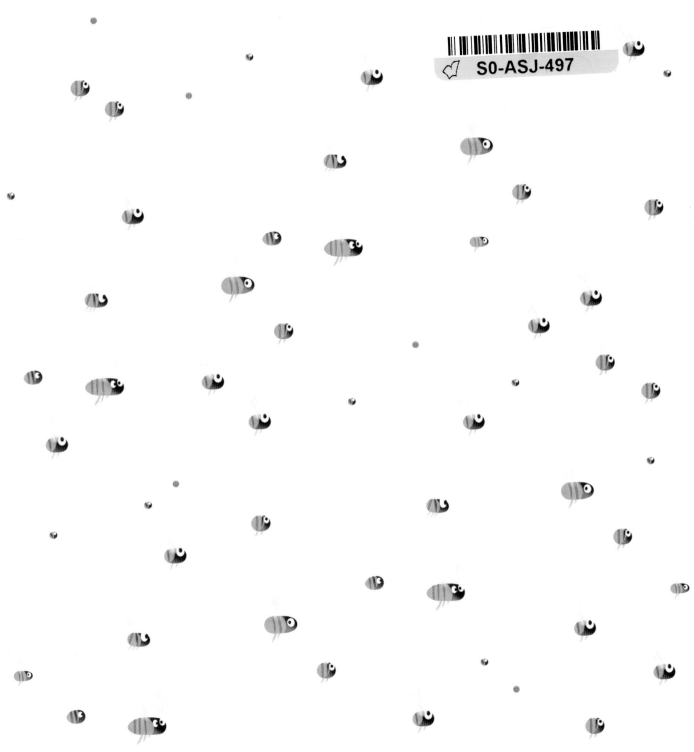

Para los niños y niñas
que confunden
la izquierda
con la derecha.

RECHA. ¡DISTÍNGUELAS!

Picarona

Ésta es la página izquierda de este libro.

Ésta es la página derecha de este libro.

¡JE, JE!

Pon tu mano derecha en la página derecha.

Bien, ahora puedes quitar las manos de las páginas.
Si no, ¿cómo vas a pasar la página?

Los zurdos utilizan la mano izquierda cuando hacen las cosas...

Los diestros utilizan la mano derecha cuando hacen las cosas...

No importa qué mano utilicemos, necesitamos conocer qué camino es el de la derecha y cuál es el de la izquierda. ¿Quieres saber por qué?

Supongamos que vas de acampada al bosque. Estás dando un paseo y resulta que te pierdes. Preguntas al primer oso que encuentras cuál es el camino que debes seguir para llegar a tu campamento. El oso dice:

El oso te ha explicado el camino, pero necesitas saber cuál es el camino derecho y cuál es el izquierdo para poder regresar al campamento.

Si no puedes recordar cuál era el derecho y cuál era el izquierdo,

entonces lleva este libro contigo hasta que lo aprendas.
Llévalo, y así podrás encontrar tu camino cuando el oso te lo indique.

Allá vamos. ¡Oh, mira!
Los pájaros que vuelan
desde la página izquierda...

... aterrizan en el árbol
de la página derecha.

¿El sol está en la página
derecha o en la izquierda?

¿Y la ardilla?

El viento que sopla desde la página izquierda
se ha llevado las hojas...

...a la página derecha.

¿El oso está en la página derecha o en la izquierda? ¿Y los pájaros?

La lombriz que avanzaba lentamente por debajo de la tierra desde la página izquierda...

... ¡se encontró con una sorpresa desagradable!
¡Una urraca con el estómago vacío estaba esperándola!
Así que la lombriz se arrastró otra vez hacia la página izquierda.

...comenzó a llover a cántaros y se formó un pequeño remolino en el cauce del río, entre los árboles.

¿Los barcos de papel giran hacia la izquierda o hacia la derecha?
¿Puedes seguir uno con tu dedo?

Y ésta es la página derecha.
Espera un momento..., ¿qué son esas huellas?
¿Quién ha mezclado los dibujos?

Sé que ahora es muy fácil para ti saber cuál camino
es el derecho y cuál el izquierdo.

Pero aún no hemos terminado...
¿Estás listo para
algo más
y más
y más difícil?

Si es así, entonces gira la página
derecha con tu mano derecha
y ¡deja que el libro te ponga
a prueba!

Sí, ésta es la página izquierda.
Pero, esta vez, ¿puedes poner tu mano derecha en la página izquierda?

Y tu mano izquierda en la página derecha...
Veo que ha sido muy fácil para ti. Bien, entonces... tú lo has querido.

Empecemos por pasar la página derecha con tu mano izquierda.

Bien, entonces... ¿puedes poner tu codo izquierdo
en la página izquierda?

Y pon tu oreja derecha en la página derecha.

Por supuesto, el sonido que harás cuando pases la página derecha.

Aquí estamos otra vez, en la página izquierda.
Éste es un ejercicio realmente difícil. Te deseo buena suerte...

¿Puedes poner tu mano izquierda en la página izquierda?
Oh, no, no cantes victoria. No va a ser tan fácil como piensas.

Y ahora estamos en la página derecha.
¿Puedes poner tu rodilla derecha en la página derecha?

¿Has podido hacerlo? ¡Guau! ¿De verdad? Entonces te reto a que metas
tu nariz en medio de estas dos páginas, pero sin quitar la mano ni la rodilla.

¡Guau, también has podido hacerlo! ¿Por qué no intentas esto...?
Mientras das un beso a la página izquierda...

... pon tu nariz en la página derecha.
También lo has logrado, ¿verdad?

¡Me rindo! Ahora eres un experto de la izquierda y la derecha.

¿Quieres saber el camino hacia el campamento?
Déjame que te lo indique. Comienza en la flecha blanca.
Gira a la derecha en el tercer camino.
Camina a lo largo del río, que quedará a tu izquierda.
Cuando veas la madriguera del zorro, gira a la izquierda
y camina sobre el puente. Gira a la izquierda y camina recto
hacia adelante. Cuando llegues al final del camino,
gira a la derecha y luego a la izquierda. Pasa junto a mi cueva.
¡El campamento está justo allí! También hay un atajo.
¿Podrías describir el camino desde el atajo?

¡Preparemos pulseras de colores!

Hemos preparado tres pares de pulseras para que sea más fácil para ti encontrar cuál es el camino derecho y cuál es el izquierdo. Puedes encontrarlas en la última página de este libro.

- Corta las pulseras por la línea de puntos.
- Haz una muesca cortando las líneas negras.
- Tus pulseras están listas, ahora puedes ponértelas.
- Conecta los dos extremos con las muescas.

Truco:

También puedes poner una cinta adhesiva en los bordes.

¡No lo olvides!

Pondrás la pulsera de la lombriz en tu muñeca izquierda y la pulsera de la urraca en tu muñeca derecha.

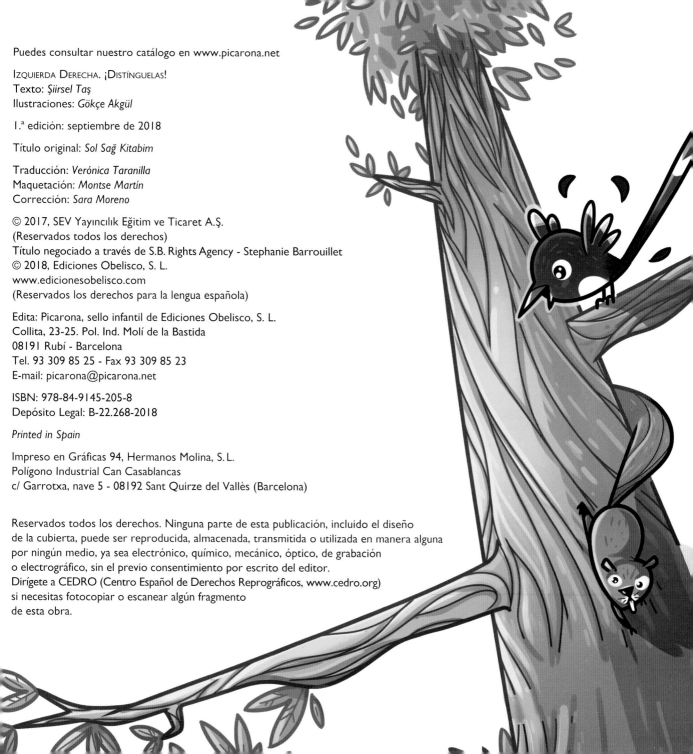

Puedes consultar nuestro catálogo en www.picarona.net

Izquierda Derecha. ¡Distínguelas!
Texto: Şiirsel Taş
Ilustraciones: Gökçe Akgül

1.ª edición: septiembre de 2018

Título original: Sol Sağ Kitabim

Traducción: Verónica Taranilla
Maquetación: Montse Martín
Corrección: Sara Moreno

© 2017, SEV Yayıncılık Eğitim ve Ticaret A.Ş.
(Reservados todos los derechos)
Título negociado a través de S.B. Rights Agency - Stephanie Barrouillet
© 2018, Ediciones Obelisco, S. L.
www.edicionesobelisco.com
(Reservados los derechos para la lengua española)

Edita: Picarona, sello infantil de Ediciones Obelisco, S. L.
Collita, 23-25. Pol. Ind. Molí de la Bastida
08191 Rubí - Barcelona
Tel. 93 309 85 25 - Fax 93 309 85 23
E-mail: picarona@picarona.net

ISBN: 978-84-9145-205-8
Depósito Legal: B-22.268-2018

Printed in Spain

Impreso en Gráficas 94, Hermanos Molina, S. L.
Polígono Industrial Can Casablancas
c/ Garrotxa, nave 5 - 08192 Sant Quirze del Vallès (Barcelona)

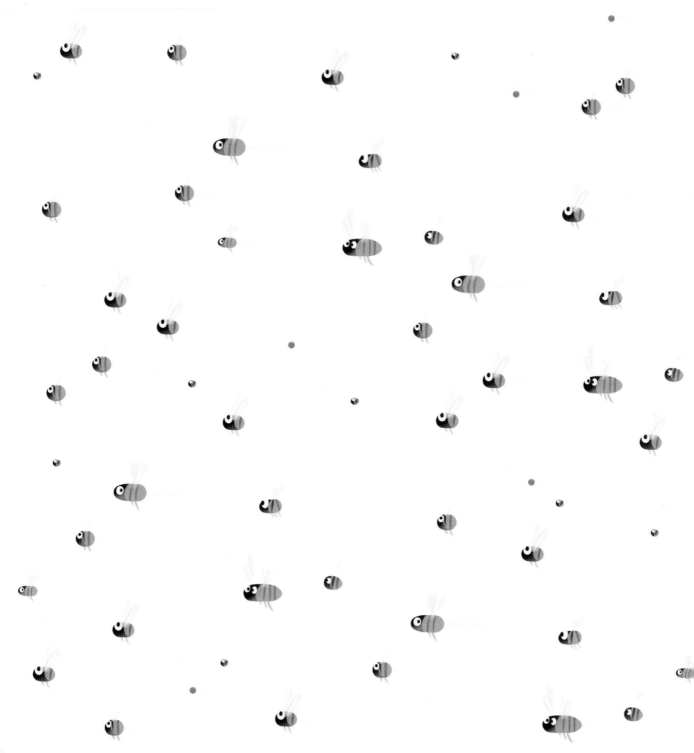